KB103737

순간을 읽다

순간을 읽다

발 행 | 2016년 12월 26일
저 자 | 김재욱
펴낸이 | 한건희
펴낸곳 | 주식회사 부크크
출판사등록 | 2014.07.15.(제2014-16호)
주 소 | 경기 부천시 원미구 춘의동 202 춘의테크노파크2단지 202동 1306호
전 화 | (070) 4085-7599
이메일 | info@bookk.co.kr

ISBN | 979-11-272-0861-5

www.bookk.co.kr
ⓒ 김재욱, 2016
이 책은 저작권법에 따라 보호받는 저작물이므로 무단전재와 복제를 금합니다.
이 책 내용의 전부 또는 일부를 사용하려면 반드시 저작권자에게 서면동의를 받아야
합니다.

일상의 의미 있는

순간을 읽다

김
재
욱

평범한 일상을 살아가는 특별한 당신과
함께 나누고 싶은 이야기

늘 똑같다고
생각되는 일상에서
나만의 의미를
찾아보는 것,
그것이
바로
일상의
의미 있는
순간을
읽는 것입니다.

차례

일상에서 순간으로
나에게서 당신에게로

그랬습니다.

일상에서

소소하지만 소중한

잔잔하지만 눈부신

순간순간을 음미하며

깨닫게 된 것이 있을 때,

그때

나는

순간의 깨달음을

놓치지 않고

글로 온전히

담아보고 싶었습니다.

그리고

나처럼
평범한 일상을 살아가는
특별한 이들과 함께 나누고 싶었습니다.

똑같아 보이고
평범해 보이는
매 순간,
우리를
특별하고 새롭게 하는 그 무엇을.

일상의 모든 순간이
당신에게 특별한 선물이 되기를 바라며
마음의 시선을 옮겨 봅니다.

일상에서 순간으로,
나에게서 당신에게로.

2016. 12.
김재욱

적응에 관하여

적응
생물의 형태나 기능이
주어진 환경 조건에 맞추어
변하는 것.

삶은
시시각각 변하고
똑같아 보이는
어제와 오늘도
사실은 같지 않습니다.
어제와 다른
오늘의 내가
하루를 새롭게 살아가는 것이죠.
1초 전의 나와
1초 후의 나조차도
다릅니다.

우리는 변합니다.
외부의 조건에 따라
내면의 조건에 따라
그러한 변화에 맞추어
우리는 살아가지요.
변화란
살아있는 존재에게
피할 수 없는 숙명과
같은 것이 아닐까요.

그런데
이걸 적응이라고 할 수 있을지
의문이 들 때가 있습니다.
주체적, 능동적 변화가 아닌
객체적, 수동적 변화를 겪게 될 때
적응이라는 말은 무색하지요.

어쩌면
적응이라는 말보다
무뎌진다는 말이 적절할 거예요.

무뎌진다는 것은

내가 닳아 없어지는 것입니다.
내 마음이
내 생각이
내 느낌이
닳고 닳아버려서
내가 어디 있는지
내가 누구인지
내가 무엇을 하고 있는지
모른 채 살아가게 되는 것,
이것이 바로 무뎌진 삶을 사는 것입니다.

내 삶에서
내가 점점 없어지고
다른 이의 삶이
다른 사람이
다른 무엇인가가
내 삶이 되고
내 삶의 주인이 되고
내가 해야 할 것이 될 때
삶은 무뎌지고 말죠.

가만히 자신에게 물어보세요.

나는 적응하고 있는 것인지?
아니면
그저 무뎌져 가는 것을
적응이라고 여기고 있는지?

살아야 할 이유가 있고
그 이유를 위해 살고 있다면,
삶의 목적이 있고
그 목적을 달성하기 위해 살고 있다면,
이를 위해서
변하는 삶의 조건에 맞춰
삶의 이유와 목적에 맞게
자기 자신을
변화시켜 가고 있다면
그것은 적응입니다.

그러나
살아야 할 이유를 모르고
삶의 목적도 없이
요동치는
삶의 물살에 휩쓸려
정처 없이 떠돌 듯

살고 있다면
그래서
살고 싶은 대로
자신을 변화시키며
사는 것이 아니라
그저 살아지는 대로
살고 있다면
이것은 무녀지는 것이죠.
나도
삶도
점차 사라져 버리고 말 것입니다.

그러므로
늘 깨어 있어야 해요.
변화의 물결 속에서
항상 삶의 이유와 목적을 응시하세요.
그리고 그에 합당한 삶을 살아가세요.

기억하세요.
나로부터 시작되는 변화가
곧 적응이라는 것을.
적응하는 인간이란

변화에 깨어 있고
스스로 변화를
주도하는 존재라는 것을.

내가 되기 위해
내 삶을 살기 위해
무뎌지지 말고
적응하세요.

그래야 합니다.

진정한 스승

'가르친다'는 말은
수직 관계를 전제로 한다는 인상을 받아요.
더 많이 알고 있는 사람이
덜 알고 있는 사람에게
뭔가를 알려주는 것이 가장 먼저 떠오르지 않나요?

그 둘 사이에
높고 낮음이
생기는 거죠.
이때
가르치는 사람이
가령 겸손과 존중을 잃게 되면
가르치는 사람 스스로가
자신을 높이거나
다른 이들의 추앙을
갈구하게 될 수 있어요.
교만의 골짜기는

넓고 깊어서
한번 떨어지면
다시 돌이키기가
여간 어려운 일이 아니죠.

상대가 아닌
자기 자신을 위해
가르쳐 주려는 사람
자기를 과시하고
자기를 높이기 위해
가르쳐 주려는 사람
보통 이들은
'가르친다'라는 말을
스스로 떠벌립니다.

이런 사람은
진정한 스승이 아니에요.
진정한 스승이 되기도 어렵지요.

그러니
그런 이들에게
현혹되지 않도록 조심하세요.

이들을 경계하세요.
그들의 추종자를 자처하지 마세요.

진정한 스승은
자연스레 배우고 싶은 마음을
들게 하는 사람이에요.

'배운다'는 말은
수평 관계를 전제로 해요.
서로가 서로를 채워주는 것을 뜻하죠.

인간은
완벽하게 불완전한 존재이기에
누구나 채워야 할 것이 있기 마련입니다.
완전하지 않기 때문에
배울 수 있다는 것에 감사해야 합니다.
다른 이들이
나와 다른 것을 가지고 있기에
서로 배울 수 있는 존재임을 감사해야 합니다.
서로가 서로의 스승이 될 수 있다는
삶의 축복에 감사해야 합니다.

배움이란
나와 다른 것을 가진 이로부터
내 부족함을 채우고 싶은 마음이에요.
이런 자발적인 마음이 배움입니다.
타의他意가 아닌
자의自意에서 생겨나는 마음이지요.

여기에
높고 낮음은 존재하지 않아요.
다른 것에는 우위가 없지요.
서로가 대등한 존재로서
수평적 관계에서
각자가 가진 다른 것을
겸손과 존중을 바탕으로
나누는 것이 배움입니다.
그래서 배움은 일방적이지 않습니다.
일방적일 수가 없는 것이지요.
이것을 깨닫게 하는 사람
자신의 부족함을 스스로
채우고 싶은 마음이 들게 하는 사람
나와 다른 것을 가진 사람
이런 사람들은 모두 누구에게나

진정한 스승이 될 수 있습니다.

이렇듯
진정한 스승은
가르치려고 하기보다는
배우고 싶은 마음을 가지게 하죠.
결코 자신을 과시하거나
스스로를 높이지 않습니다.
겸손과 존중을 바탕으로
같이 성장하고 발전하려고 합니다.

진정한 스승은
자기 부족함을 돌아보게 하고
스스로 배우고 익혀
지금보다 더 나은 나를
만나게 도와주는 사람이에요.
그것에 의미를 두는 사람이죠.
그것을 목적으로 하는 사람이에요.
그것으로 기뻐하는 사람입니다.

매일 만나는 사람 중에
이런 스승을 찾아보세요.

이런 스승의 스승이 되어 보세요.

진정한 스승은
"내가 진정한 스승이다."하며 나타나지 않아요.
"나를 찾아오너라."라고 말하며 기다리고 있지도 않죠.
그래서 필요한 것이 배움의 자세입니다.

누구에게서나
배우려는 마음을 가지고
사람들을 만나보세요.
그러면 만나는 사람들 가운데서
진정한 스승을 찾을 수 있을 거예요.
그리고 나도 누군가의
진정한 스승이 되어 있을 겁니다.

늘 배울 수 있는 삶이
향기로운 삶입니다.
푸르른 삶이에요.
청춘의 삶이지요.
진정한 스승을 만나고
진정한 스승이 되는 삶이
바로 그런 삶입니다.

일상에서 누구나 누려야
마땅한 삶이에요.

그 삶을 모두가 마땅히 누리며
행복하길 기원합니다.

나를 모를 때면

종이와 펜을 준비하세요.
조용한 장소를 마련하세요.
따뜻한 차 한 잔을 타세요.
향이 좋은 커피도 좋아요.

펜을 잡고
종이 위에
아무것이나 쓰세요.
주제, 형식, 표현 방법은
신경 쓸 필요 없어요.
그냥 떠오르는 대로
생각이 닿는 대로
쓰고 싶은 것을
써지는 것을
그냥 써보는 거예요.

종이 위에 펜이 닿는 느낌

글자를 쓸 때 펜이 구르는 느낌
손에 힘이 들어가는 느낌
이 모든 걸 느껴보면서
느긋한 마음으로
천천히 써보세요.

생각이나 느낌을
있는 그대로
날 것 그대로
솔직하게 쓰는 거예요.
꾸밀 필요가 없어요.
남에게 보여주기 위한 글쓰기가 아니니까요.
오직 나를 위한 글쓰기니까요.
편하고 자유롭게 쓰세요.
거리낄 것 없이.

누군가에게 미처 털어놓을 수 없었던 것들
남을 의식하느라 솔직할 수 없었던 것들
마음의 여유가 없어 잊고 지냈던 것들
어쩔 수 없이 그래야 했던 것들
나를 불안하게 하고 고민하게 하는 것들
마음속에 꾹꾹 누르며 참아왔던 것들

이 모든 걸
있는 그대로 써보면
있는 그대로의 나를 만나게 될 거예요.
있는 그대로의 나로 정화될 거예요.
그때그때 나를 알게 될 거예요.

이렇게
순간순간 나로 존재할 수 있고
진정한 나를 만날 수 있다는 건
정말 놀랍고 멋진 일이에요.
나를 알아야
나로서
나답게
살 수 있지 않겠어요?

삶이란
나를 알아가기 위한 시간이에요.
나로서 살아가기 위한 시간이죠.
나답게 살아야 하는 시간입니다.
나를 아는 만큼
나다운 인생을
나답게 살 수 있을 거예요.

남을 위해 사느라
남의 인생을 대신 사느라
자신의 소중한 인생을 낭비하지 마세요.

나를 위한 글쓰기로
나를 만나세요.
솔직하고 진정한 나를 만나서
대화를 나눠보세요.
나를 자유롭게 하세요.
나다운 내가 되어 보세요.
그리고 내 인생을 사는 거죠.

나를 위한 글쓰기가
별것 아닌 것 같겠지만
나를 조금이라도 더 알 수 있는
값진 기회가 될 거예요.

한번 해 보세요!
나중으로 미루지 말고
지금 바로.

단순하게 사는 비결

복잡하게 생각할 것 없어요.
단순하게 생각하세요.
단순하게 생각하는 것,
이것이 바로 삶이 편안해지는 비결이니까요.

생각이 복잡해지는 것은
가슴의 소리에 귀를 기울이지 않기 때문이에요.

가슴이 하는 말을 들어보세요.
머리가 아닌 가슴이 시키는 일을 하세요.
머리가 아닌 가슴을 따르는 삶이
단순하게 사는 비결이니까요.

지금 어디에 있나요?
여기에 있어야 해요.
'여기'가 아닌 '저기'에 있다면
그러니까 이미 지나간 과거나

아직 찾아오지 않은 미래에 있다면
절대 단순해질 수가 없을 거예요.
그건 복잡한 머리를 쫓아가는 일이니까요.

이미 벌어진 일이나
아직 벌어지지 않은 일을 걱정하느라
지금 가야 할 길을 잃어버리지 마세요.
길의 입구에서 가야 할지 말아야 할지
주저하지도 망설이지도 마세요.

그럴 때
불안해지고
두려워지고
무기력해지게 되니까요.

정말 가고 싶은 마음이라면
그 길을 당당히 걸어가세요.
그 길을 걸어가며
단순하게 사는 삶이 주는
일상의 소소한 기쁨과 행복을
발견하고 누리세요.
내 삶에 만족하는 방법을 배우고

내 삶을 더욱 뜨겁게 사랑하세요.

단순하게 생각하세요.
가슴이 하는 말에 귀를 기울이고
가슴이 시키는 일을 하면서
가슴을 뛰게 하는 길을 씩씩하게 걸어가세요.
당신의 힘찬 발걸음을 내딛으세요.

발걸음이 닿는 그곳이
바로 당신의 길이 될 것입니다.

남의 길이 아닌
오직 당신만의 길이.

영하 2도

겨울이 찾아오네요.
기온이 떨어진다고 해요.
내일은 영하 2도까지 떨어진다고 해요.
이 소식을 듣는 것만으로도
이미 몸과 마음은
영하 2도입니다.

겨울옷을 들춰봅니다.
오랫동안 잊고 지냈던
나를 기다렸을 옷들을 들춰봅니다.
매서운 겨울바람과
예리한 겨울의 찬 공기로부터
나를 지켜줄 옷들을 꺼내봅니다.

유난히도 뜨거웠던 올해 여름
그래서 더 까맣게 잊고 지냈던
고마운 옷들을 다시 만납니다.

문득 지나온 시간들이 떠올라요.

싱그럽고 화사했던 포근한 봄

무더웠던 아니 아궁이 속 같았던 여름

못 만날 것 같아 더 간절히 기다렸던 가을

여러 계절 가운데

함께 있는 사람들과 떠난 사람들,

했던 일들과 못한 일들,

얻은 것과 잃은 것,

기쁨과 슬픔,

성장과 정체,

추억과 상처,

그때의 나와 지금의 나.

계절의 변화,

날씨의 변화,

기온의 변화

그리고

한해의 흐름을

느껴보는 시간.

이런 돌아봄이

무척 고맙게 느껴집니다.

갑자기 찾아온
영하 2도가
선물한 삶의 반추反芻가
고맙고 참 좋습니다.

그대로 있어요

에메랄드 빛 물결이 찬란하게 일렁이는 바다
고운 모래가 지천으로 펼쳐진 모래사장
입고 있던 옷을 훌렁 벗어던지고
바다로 힘껏 뛰어듭니다.

투명한 바닷물 속에 비친 내 발
주변의 근사한 풍경
감탄이 섞인 외침과 함께
바다와 한데 섞여 어우러집니다.
그리고는 더 깊은 곳을 향해
걸음을 옮깁니다.

이윽고
더 이상 발이
닿지 않는 곳에 다다랐습니다.
물에 몸을 띄우고
팔과 다리를 노처럼 저어

앞으로 나아갑니다.
비단결 같은 물살을 타고
신나는 유영遊泳을 즐깁니다.

큰 숨을 들이마시고
물 위에 드러누워
열심히 팔다리를 움직여
저 멀리
아주 멀리
나아가려 합니다.

편안하고 자유롭습니다.
나를 당기고 짓누르던
일상의 모든 압력으로부터
행방됩니다.
자유란 이런 게 아닐까요.

그렇게 자유를 누리는 사이
육지는 점차 멀어져 갔습니다.

가로막을 것이 없어 보였습니다.
가고자 하면 더 멀리까지 갈 수 있을 것 같았죠.

얼마나 지났을까?

문득 고개를 돌려
육지 쪽을 바라봅니다.
작아진 육지를 보니
불현듯 불안감이 엄습해 옵니다.

익숙하고 안정된 것들로부터의
일탈逸脫이 선물했던
해방과 자유는
이내 불안감과 두려움으로 변해버렸습니다.
불안과 두려움은
해방과 자유의
또 다른 얼굴일지도 모르겠습니다.

떠오르는 단 하나의 생각은
다시 육지로 돌아가야 한다는 것뿐.
전진을 멈추고
육지를 향해 나아가려 합니다.
급해진 마음만큼
부지런히 팔, 다리를 휘젓습니다.
두려움과 공포가

온몸을 지배하기 전에
돌아가야 합니다.

어찌 된 일인지
팔, 다리를 힘차게 움직이지만
육지와는 가까워지지 못합니다.
제자리 아니 오히려 뒤로 밀려가는 듯합니다.
여태껏 나를 밀어주던 물살이
이제는 나를 붙잡아 두려고 애를 씁니다.
저항하고 대항하는 것이 무척 버거워집니다.

이대로라면
바다 저편으로
육지로부터 아주 멀리
휩쓸려 가버릴 것 같습니다.
'할 수 있을까'라는 의구심이
몸을 더욱 무겁고 뻣뻣하게 합니다.

할 수 있는 것이
아무것도 없어 보입니다.
이런 생각만 거듭 떠오릅니다.
'할 수 없다.'

'할 수 있는 게 아무것도 없다.'
'이러다 죽는 게 아닐까.'

모든 것을 잠시 멈춰 봅니다.
그대로 멈추기로 합니다.
팔다리를 젓는 것을 멈추고
제자리에 머뭅니다.
그제야 숨을 고를 수 있습니다.
숨을 쉬니 한결 나아졌습니다.

몸을 띄운 채로
그대로 그렇게 있습니다.
깨닫습니다.
이게 지금
내가 할 수 있는 일이라는 것을.
내가 해야 하는 일이라는 것을.

'그대로 있는 것'
아무것도 할 수 없기 때문에
무엇을 할 수 있고, 해야 하는 지를
깨닫게 된 것입니다.

마음이 안정됩니다.
불안, 두려움, 공포가
서서히 사그라집니다.

물의 흐름과 방향이
시야에 들어옵니다.
보이지 않고
볼 수 없었던 것이
보이기 시작합니다.

육지로 향하는 물살에
맞춰 팔, 다리를 움직입니다.
빠르지는 않지만
서서히 육지와 가까워집니다.
안도의 한숨과 함께
깨닫습니다.
할 수 있는 것이
생길 때를 기다릴 줄도
알아야 한다는 것을.

살다 보면
아무리 애를 써도

뜻대로 되지 않는 때가 있습니다.
그럴 때
우리는
좌절하고
불안해하고
두려워집니다.
무력감을 느끼고
죄의식을 갖기도 합니다.

삶에
이런 불청객이 찾아올 때
내쫓느라 애쓰지 마세요.
기다려야 할 때일 수가 있으니까요.
어쩔 수 없는 때에
가진 힘을 다 써버리지 마세요.
잠시 시간을 가져보세요.
시간만이 해결할 수 있는 일일지도 모르니까요.
뭔가 할 수 있는 일이 생길 때까지
그대로 있어 보세요.

시간이 지나고
뭔가 할 수 있는 때가 오면

할 수 있고 해야 하는 게 생길 때
그때 모아둔 힘을 쏟으세요.
기다릴 때와
뭔가를 해야 할 때를
아는 것이 바로 지혜입니다.
때를 기다리면서
지혜를 배우는 기회로 삼으세요.

모든 일에는 때가 있다고 합니다.
때를 기다릴 줄 아는 것도
인생을 살아가는데 필요한 순리順理입니다.

행복하니

행복하니?
자신에게 물어 봐준 적이 있나요?

물어본 적이 있다면
얼마나 자주
자신에게 물어보나요?

우리는
관심을 가진 것에만
질문을 합니다.
그러니까
행복한지
물어본 적이 없다면
있더라도 아주 드물다면
행복에 더 관심을 가져야 할 거예요.
온통 다른 것에만
관심을 쏟느라

자기 행복을
잊고 살고 있는지도 모르니까요.

행복에 관해
매일 자기 자신에게
물어봐주지 않으면
행복을 느낄 가능성은
그만큼 희박해집니다.
관심이 없으면
묻지 않게 되고
묻지 않으면
얻을 수 없지요.

누구나 행복하기를 원해요.
그러면서도
우리는
얼마나 많이
얼마나 자주
행복에 관심을 두고 살고 있나요?
하루 중 "행복하니?"라고
자신에게 물어보는 사람이
과연 얼마나 될까요.

매일 자기에게
"행복하니?"라고 물어봐 주세요.
행복이라는 화두話頭를
일상으로 초대해 보세요.

행복한 사람이 되려면
스스로 행복할 줄 알아야 하죠.
행복할 줄 아는 사람은
관심사가 행복인 사람이에요.
자기에게 "행복하니?"라고
물어봐주는 사람이지요.
이런 사람이야말로
일상에서 행복을
발견할 줄 아는 사람이에요.
행복할 준비가 된 사람입니다.

행복에 관심을 가지세요.
무슨 일을 하든
누구를 만나든
어디에 있든
행복에 관심을 두면
행복이 곁에 있다는 걸

알게 될 거예요.
이런 사람만이
행복할 자격이 있어요.
이런 사람만이
행복할 수 있습니다.

행복이 찾아와 주길 기다리지 마세요.
행복은 항상 당신 곁에 있으니까요.
조금만 관심을 가져도
더 많이, 더 자주 행복해질 수 있답니다.
행복은 늘 당신에게서 발견되기를
기다리고 있으니까요.

꿈을 가진 당신에게

꿈은 생명입니다.
꿈이 있는 사람은
살아있는 사람이지요.
꿈을 이루기 위해
살아가는 현실은
생명이 있는 삶이고요.

꿈과 현실이 닮아갈수록
그 사람과 삶의 생명력은 더욱 강해집니다.
꿈은 사람만이 가질 수 있는
위대한 생명력이기 때문입니다.

누구나 꿈을 꿀 수 있지만
아무나 꿈을 이루는 것은 아니죠.

꿈을 가지는 일과 꿈을 이루는 것
그 사이에는 길이 놓여 있어요.

그 길을 끝까지 가는 사람만이
꿈을 이룰 수 있습니다.

그 길은
남이 갔던 길이 아니에요.
남이 걸었던 길은
내 꿈의 길이 아니니까요.
남의 꿈을 뒤쫓는 길에서는
자신의 꿈을 꿀 수도
또 이룰 수도 없습니다.

남의 길이 아닌
자신의 길을 가는 것이
바로 꿈을 이루는 길이에요.
다른 사람의 길을 걷느라
자기 꿈을 위한
소중한 시간을 허비하지 마세요.
내 꿈을 꾸고
그 꿈을 이루기 위한
자기 길을 끝까지 가는
인생을 살아야지요.

내 꿈의 길을 걸어가세요.
남들이 뭐라 하던 상관 말고
남들이 다 가는 그런 길 말고.

꿈은 자기가 꾸는 것이니
꿈을 이루는 것도
자기가 해야 할 일이에요.
스스로 꿈을 이루는 길을 만들면서
그 길을 가세요.

인간은 상상력이 있어서
비겁해진다는 말이 있지요.
실패를 상상하지 마세요.
걱정하느라 망설이지 마세요.
일단 시작하세요.
그리고
내가 갈 수 있는 만큼 가보세요.
끝이 어디인지
뭐가 기다리고 있는지
직접 확인하세요.

거기에는

성공도 실패도 없어요.
그 여정 자체가
꿈을 이루는 거니까요.
꿈을 이루기 위해
행동하는 내가 바로 꿈이니까요.

꿈을 이루지 못하는 건
이루고자 하는 간절함이
부족해서 일지도 몰라요.
자기와의 싸움을
시작할 용기가
부족해서 일지도 몰라요.
그렇다면
먼저 그렇다는 걸
받아들여야 해요.
꿈을 꿨지만
이루지 못했다고
억울해하고
후회할 것 없어요.
대신
간절하게 이루고 싶은 꿈을
다시 꾸면 되죠.

시작할 용기를 낼 수 있는 꿈을
다시 꾸면 돼요.
그리고 시작해보면 됩니다.
그 길을 걸어보는 거예요.
늦지 않았습니다.
지금 시작한다면
그게 가장 빠른 때입니다.

항상
꿈을 꾸고
꿈을 이루기 위한
자기 길을
끝까지 가세요.

이루어질 때까지
꿈을 꾸고
이루어질 때까지
그 길을 걸어가는 것
이것이
꿈을 이루는 인생을
사는 비결이에요.
꿈을 가진 당신을 위한.

좋은 날을 살아요

많이 웃는 날이
좋은 날이에요.
웃으세요.
좋은 날을 살아요.

늘 상황보다
먼저 웃어 보세요.
모든 날들이
그만큼 좋은 날이 될 거예요.

모든 상황에서
웃을 수 있는 걸 찾아보세요.
전혀 웃을 수 없는 상황이라면
웃음을 만들어 보세요.
그게 '유머' 예요.
웃음이 없는 곳은 없어요.
웃을 줄 모르는 사람만 있을 뿐이죠.

어떤 상황에서든
웃음을 발견하고
웃음을 만들 수 있는
놀라운 비밀이 있는데요.
인생에서 마주하는
대부분의 일들이
사소하다는 것이죠.

인생은 사소하답니다.
심각하게 사느라
스스로 힘든 인생을 만들지 마세요.
지나치게 심각하고 진지하게
살아가려고 애쓰는 대신
좀 더 웃어 보려고 노력하면 어떨까요.
웃는 날이 더 많은
좋은 날이 더 많은
인생을 살게 될 거예요.

웃긴 일에는
누구나 웃을 수 있죠.
그런데요
정말 웃을 줄 아는 사람은

웃기지 않은 일에서도
웃을 수 있는 사람이에요.
웃음을 창조할 줄 아는 사람이지요.
이런 사람이 되고 싶다면
웃음에 대한 편견을 버려야 해요.
남들을 의식하느라
쓸데없이 진지하거나 과묵해지지도 말아야 해요.
이건 스스로 불행해지는 일이니까요.

'아재 개그'니
'썰렁하다'니
이런 말에
웃음을 잃지 마세요.
웃음을 빼앗기지 마세요.
그건 좋은 날을 스스로
포기하는 것과 같으니까요.
저는 그런 말들을 거부해요.
좋은 날을 망치는 말들이니까요.

그런 말들을
습관처럼 내뱉는 사람들 중에서
제대로 웃는 사람을 보지 못했어요.

웃음을 경시하는 사람은
웃을 자격이 없는 사람이에요.
좋은 날을 누릴 자격을
스스로 포기한 사람이죠.
다른 사람들의 웃음을 빼앗고
다른 사람들의 날들마저도
삭막하게 만드는 사람들이죠.

많이 웃는 건
웃음이 헤퍼서도
어리석어서도
바보 같아서도 아닙니다.
좋은 날로
가득 찬 인생을 살고 싶기 때문이에요.
이것이 진짜 이유입니다.

웃음은
다른 이들도 웃게 합니다.
다른 이들도
좋은 날을 살 수 있게 하죠.
웃기는 것은
쉽지 않아요.

웃기는 데는
분명 재능이 필요하거든요.
하지만
웃는 건 누구나 할 수 있어요.
게다가 유쾌한 웃음은
쉽게 전파되죠.
웃을 수 있는 것은
인간만이 가진 고유한 본성이니까요.
내가 웃고
당신이 웃고
우리가 함께 웃을 수 있는 것이
바로 우리 모두의 인간됨이니까요.

웃으세요.
웃고 또 웃어요.
그럼 함께 웃게 될 거예요.
이렇게 모두 같이 웃으면
더더욱 좋은 날이 됩니다.

부디
늘 웃으며
좋은 날을 만끽하시길.

나아가
다 같이 웃으며
좋은 날을 함께 맞이하시길.
웃는 날이
좋은 날이니까요.

행복하게
자유롭게

사람은 적게 가져서 불행한 것이 아니라
가진 것에 만족하지 못하기 때문에 불행합니다.

사람은 원하는 것을 얻지 못해 불행한 것이 아니라
원하는 마음에서 자유롭지 못하기 때문에 불행합니다.

있는 그대로 만족할 수 있을 때
원하는 마음으로부터 자유로울 때
진정한 자유와 행복을 누릴 수 있습니다.

정말 가진 것이 없어서 불행할까요?
이미 가진 것에
만족할 줄 모른다면
가진 것이 많아진다고 해도
계속 불행할 수밖에 없습니다.

원하는 것을 갖지 못해서 불행할까요?
절제하지 않는 욕망에는 끝이 없으며
끝없는 욕망을 가지고 있는 한
행복은 마음에 찾아들 수 없습니다.

1970년
노벨경제학상을 받은
폴 새뮤얼슨Paul Samuelsons은
행복지수 공식을 선보였습니다.
'행복지수=소비/욕망'
행복은 소비를 욕망으로 나눈 값.
소비를 늘릴수록 행복지수는 높아지지만
소비가 유한한데 반해
사람의 욕망은 무한하기에
욕망을 절제하지 못하는 한
결코 행복할 수 없다는
통찰을 보여주었습니다.

욕망의 절제는
자족自足,
즉 스스로 만족하는 데 있습니다.
지금 가진 것에 만족할 줄 알아야 합니다.

만족이 곧 행복입니다.
원하는 마음이
자신을 괴롭힌다는 것을 잊지 마세요.
욕망으로부터 벗어나세요.
욕망하지 않는 것이 곧 자유입니다.

인생은
그 자체가 수행修行의 과정입니다.
스스로 만족할 줄 알고
욕망의 사슬을 끊어내는
지혜를 터득하는
수행의 과정이지요.

이 지혜를
터득한 사람은
유한한 인생에서
무한한 행복과 자유를
누릴 수 있게 됩니다.

그런 의미에서
인생이란 행복과 자유를
알아가는 과정이라고 할 수 있습니다.

만족할 줄 알고
욕망을 절제하는 것
행복과 자유를
알아가는 수행을 하듯
인생을 산다면
여러분의 하루는
행복과 자유로
빛나게 될 것입니다.

2016. 7. 16.

삶은
현재와 미래
그리고
과거가 공존합니다.
생각해 봅니다.
삶에서
나는 무엇을 보고 있을까?
당신은 무엇을 보고 있을까?

현재만 보고 있기에
미래만 보고 있기에
과거만 보고 있기에
서로 다른 곳을 보고 있기에
마땅히 삶에서 함께 누리고
기뻐하고 즐거워하고
행복해야 할 것들을
잊고 있는 건 아닌지요.

그저 시간과 함께
저 멀리 흘려보내고 있는 건 아닌지요.
서로 다른 곳에 머물고 있기 때문에
그렇게 잊히는 건 아닌지요.

아쉬워 말고
기다리지 말고
망설이지 말고
아파하지 말고
후회하지 말고
주저하지 말고
슬퍼하지 말고
서로 있는 그대로
터놓고 말해요.
무엇을 보고 있는지
어떤 때에 머물러 있는지.

같이 하고 싶다고
함께 나누고 싶다고
그게 당신이라서
당신이기 때문에
당신이어야 하니까.

이 마음이
당신에게 가 닿을 때까지
묵묵히 한결같이 그렇게.......
곁에 있노라고 말해요.

먼 훗날
당신과 내가
그냥 당신과 내가 되었을 때
"그땐 그랬었지" 하고
그때를 추억하면서
빙긋이 웃으며
지금처럼 앞으로도
변함없이
함께 할 수 있도록....... 해요.

당신과 함께여서
우리 함께여서
잘 살았다는 말이
나의 고백이 되었으면 좋겠어요.

바로
당신이 있어서.

벧엘회 모임

설렘으로 가득한 하루.
당신들을
만날 생각에
내 하루는 설렘과 함께
시작됩니다.

벧엘회
경조사 때 서로 돕는 것을
목적으로 조직된
내가 일하는 병원의 모임.
영금 샘, 기현이, 용수, 세희
2년 동안
벧엘회를 함께 했던
당신들.

벧엘회를 맡게 되었을 때
"같이 해줄 수 있느냐?"는

내 부탁에
망설임 없이
함께 해주겠다던
고마운 당신들.
참 좋은 사람들.
소중하고 고맙습니다.
그때도
지금도
여전히 변함없이.

당시
해본 적이 없던
여러 가지 일들을
해 나가면서
힘들 수도 있었지만
오히려 즐겁고 행복했습니다.
모든 순간순간에
서로 힘을 합쳐
최선을 다했기 때문이었습니다.
서로를 소중히
여기고 위하는 마음을
매 순간순간마다

느낄 수 있었기 때문이었습니다.

벤엘회 임기가 끝난 후에도
지금까지 만남을 지속하며
희로애락喜怒哀樂을 함께 나눕니다.
벌써 5년이 넘었습니다.

바쁜 와중에도
서로를 위해
시간을 내고
자리를 만듭니다.
그렇게 우리는
소중한 인연을
아름답게 이어가고 있습니다.
참 고맙고 감사한 일입니다.

우리 중
두 사람이 예쁜 가정을 이루었고
수진 샘이 함께 하게 되었습니다.
만남과 나눔이
더 풍성해지고
즐거워졌습니다.

벧엘회 모임이 있는 날이면
설레고 행복합니다.
당신들은 제 삶의 축복입니다.

어떻게 지냈는지
안부를 묻고
맛있는 음식을 나누며
일상의 순간들을 이야기합니다.
있는 그대로
각자의 모습 그대로
한바탕 웃고 떠들고 나면
또다시 삶에 생기가 돕니다.
늘 비슷한 이야기를 하면서도
늘 새롭고 즐거운 것은
항상 처음 듣는 것처럼
진심으로 들어주고
마음을 헤아려주는 까닭입니다.

그들이 좋고
만남이 좋고
나눔이 좋고
무엇보다

함께여서 좋습니다.

영금 샘
기현, 수진 샘
용수
세희
고맙습니다.

앞으로도
지금처럼
우정을 쌓고
인연을 이어가면
정말 좋겠습니다.

바쁘다

'바쁘다.'
'바빠.'
'할 일이 왜 이리 많아.'
'끝도 없네.'

이런 말을
입에 달고 산다면
걸음을 늦춰야 해요.
그건 정신없이 살고 있다는 신호니까요.
정신을 차리기 위해서는
속도부터 줄여야 해요.
무엇 때문에 바쁘게 살고 있는지
정신을 차리고 생각해 볼 시간이 필요합니다.

빨리 달리는 차를 타본 적 있나요?
바깥 풍경이 어땠는지 기억해요?
제대로 볼 수 있었나요?

아닐 거예요.
풍경도 정신없이 지나가버렸을 테니까요.

느리게 달리는 차는
목적지에 늦게 도착할지 몰라도
목적지까지 가는 과정을
찬찬히 음미할 수 있지요.
차창 밖의 풍경,
거리의 사람들,
그것을 바라보는 자기 마음을.

음식도 빨리 먹는데 급급하면
그 맛을 제대로 알 수 없잖아요.
인생도 똑같아요.
차를 타는 것도
음식을 먹는 것도
인생을 사는 것도
찬찬히 음미吟味해야
제대로 즐길 수 있는 것이지요.

인생의 종착지가 죽음인 거 알죠?
그곳을 향해

정신없이 달려가는 게
뭐가 좋을까요.

어떻게 살고 있는지
어떻게 살았는지도
모를 만큼
바쁘고 정신없게 살고 있다면
종착지에 이르렀을 때
과연 무엇이 기다리고 있을까요.
후회가 기다리고 있지 않을까요.
'왜 그렇게 정신없이 살았지?'
'왜 그렇게 앞만 보고 달렸지?'
'무엇을 위해서?' 라는 후회가.

천천히 가세요.
급할 게 없습니다.
남들처럼
남들보다
더 빨리 가려고
기를 쓰고
내달리기만 하지 말고
나만의 속도로

주변도 둘러보고
삶을 음미하면서
그렇게 살아요.

추억할 게 많은 인생이
성공한 인생이에요.
함께 있으면
행복해지는 사람들과
나눈 것이 많은 삶이
행복한 삶이고요.

바쁘게만 사느라
정말 중요한 것을
미뤄두고 놓쳐가면서도
열심히 살고 있다고 착각하는
그런 미련한 짓은 하지 마시길.

내 삶에
정말 중요한 게
무엇인지 생각하고
그걸 열심히 하는 삶을 사세요.

산책하듯이
주변도 둘러보고
사람들과 눈을 맞추고
이야기도 나누면서
삶이 선물하는 순간순간을
마음에 담고 즐기면서
그렇게 살아요.

'바쁘다'는 말 대신
'좋았다'는 말이
입가에 맴도는,
아니
'좋았다'는 말이
절로 나오는
그런 삶을 살아요.

감기

감기에 걸린 팀원에게
"많이 힘들지?"
라고 물었습니다.
"빨리 나아!"
그렇게 말했지요.
정말 그러기 바라는 마음으로.
그런데 거기까지.

얼마나 아픈지
얼마나 고통스러운지
얼마나 불편한지
얼마나 앓았는지
잘 알지 못했어요.
제가 감기에 걸리기 전까지는.

이런 생각이 들었어요.
"네 마음 나도 알아."

"네 심정 나도 이해해."
"나도 그랬었어."
이런 말들........
사실 잘 모르면서 할 때가 많은 것 같다는 생각.
잘 알지도 못하면서
아는 척했던 때가 많은 것 같아요.

자기가
겪어 보지 않고
다 알고 이해하고
똑같이 느끼는 것처럼 하는
말이나 행동,
그거 거짓말이에요.
선의로 하더라도 말이에요.
결코 그럴 수 없으니까요.

겪어보고
정말 알고 이해하고
비슷하게 느껴본 사람은
그런 말을 쉽게 못 하죠.
그런 말이 위로는 될지 몰라도
진짜가 아닌 걸 알거든요.

대신
아무 말 없이
함께 있어주죠.
그냥 바라봐 주죠.
자기가 느꼈던 것들을
그들과 같이 느끼면서
곁에 있어 주죠.
그 사람의 상처를 응시하면서
그 사람이 되어주죠.
그게 설령 아파도
그 사람을 위해서
기꺼이 함께 아파하죠.
그럴 때 상대도 느끼죠.
아무 말을 하지 않아도
전해지는 그 사람의 진심을.
나처럼 아파해주고 있는
그 사람을 느끼는 거예요.
그게 진짜 위로이고
진짜 공감이에요.

누군가
아프고 힘들어할 때

나도 다 알고 있다는 듯이
쉽게 말하지 않으려고 해요.
대신 기꺼이
그 사람이 겪고 있을 아픔을
함께 겪으면서
같이 있어주려고요.
같이 아파하려고요.
자기와 같이 아파해주는 사람이
곁에 있다는 것만으로도
스스로 치유할 수 있는 힘을 낼 수 있으니까요.
혼자가 아니라
함께 이겨낼 수 있다는 용기를 낼 수 있으니까요.
그래야 치유가 되는 거니까요.

감기가 무척 지독했어요.
이런 생각을 해보게 할 만큼.
감기 조심하세요.
아주 독해요.

실수

어려서
몰라서
미숙해서
생각이 짧아서
멀리 보지 못해서
뭔가에 씌어서
참 많은 실수를 저질렀습니다.

그래서
신뢰를 잃고
사람을 잃고
기회를 잃고
명성을 잃고
돈을 잃고
건강을 잃기까지.
그래도 어쩌겠어요.
그게 나였던 걸요.

그게 아직 나인 걸요.
얻고자 했다가 잃기도 하고
잃기만 한 줄 알았는데
얻은 것도 있는,
그게 바로 인생인 걸요.
이제 어렴풋이 알 것 같아요.

스트레스를 받을 것도
속상해할 것도
후회할 것도
아쉬워할 것도
슬퍼할 것도
하나 없죠.
살아가면서
배우고
깨우치고
성장하는
인생의 수업이니까요.
내가 풀어가야 할 숙제이자
나를 알아가는 소중한 기회이니까요.
진정한 나로서 살기 위한 여정이니까요.
여기에 지름길은 없죠.

그저 꿋꿋하게 헤쳐가야 하는 것이죠.

실수 없이 사는 것

그거 어쩌면 아무것도 하지 않는 것일지도 몰라요.

살아있는 게 아니라 죽은 듯이 사는 것일지도 몰라요.

그렇다면 차라리 실수할래요.

실수하고

깨져도

또

일어나

배우면서

그렇게 사는 것 같이 살래요.

나답게 살래요.

실수

나답게 살다가 얻게 되는

아픈 상처일 수도 있지만

동시에 삶의 훈장이 될 수도 있어요.

그런 것 같아요.

설령 이런 생각조차

실수라고 하더라도.

왜 이렇게 피곤하지

일찍 퇴근했는데도
왜 이렇게 피곤하지?

주말에 푹 쉬었는데도
왜 이렇게 피곤하지?

아무것도 한 게 없는데
왜 이렇게 피곤하지?

자고 또 자도
왜 이렇게 피곤하지?

힘나는 걸 먹었는데도
왜 이렇게 피곤하지?

왜 이렇게 피곤한지 정말 모르겠어요.
괜히 애꿏은 나이 탓을 해봅니다.

이런 광고 카피가 있었죠.
떡은 사람이 될 수 없어도
사람은 떡이 될 수 있다.
마냥 웃을 수만은 없는 말이 되었어요.

확실한 건
평소보다 일찍 퇴근했다고 해서
주말 내내 쉬었다고 해서
아무것도 하고 있지 않다고 해서
잠을 많이 잔다고 해서
좋은 음식을 먹는다고 해서
피곤이 가시지는 않는다는 거예요.
몸은 쉬더라도
마음이 쉬고 있지 않으면
제대로 쉬는 게 아니니까요.

그런데
이렇게 하면
정말 쉬는 것 같더라고요.

그건 하고 싶었던 일에
푹 빠져 보는 거예요.

전 늘 책을 쓰고 싶었어요.
'언젠가는 쓸 거야!' 하면서
미루고 미뤘었죠.

그런데 있죠?
언젠가가 정말 언제가 될지 모르겠더라고요.
그런 생각하니까 더 미룰 수가 없었어요.
그래서 쓰기 시작했죠.

처음에는
A4 한 장을 채우는 것도
쉽지 않았어요.
어려웠죠.
쓰고 있으면서도
의심이 일었죠.
'잘 쓰고 있는 건가?'
'이게 책이 될 수 있을까?'

그런 의심이 들 때
멈추지 않고
계속 더 썼어요.
의심을 잠재울 수 있는 유일한 방법은

확신이 들 때까지 지속하는 거라고 생각했으니까요.

글들이 모이고
모인 글들을 읽을 때마다
부족함과 아쉬움을 느낄 때가 많았어요.
제 부족한 글재주가 실망스러울 때도 많았고요.

게다가
글 쓰는 일은
생각한 것 이상으로,
많은 책임감이 뒤따르는 일이었어요.
글은 남잖아요.
쓰고 읽고 고치고
이 과정을 수도 없이 반복했죠.

글쓰기는
독서와 정말 달랐어요.
글을 써보니
어떤 글이든
어떤 책이든
가볍게 생각하거나
하찮게 여길 수 없게 되었어요.

얼마나 많은 시간과 노력을 들여
한 자 한 자 써갔을지
알게 되었으니까요.

그렇게 글을 쓸수록
저는 글쓰기에 점점 더 빠져들었어요.
퇴근하고 밥 먹는 것도 잊은 채 글을 쓰기도 했고
졸려하면서도 글을 쓰며 아침을 맞이하기도 했죠.
주말 내내 집 안에 틀어 박혀서 글만 쓰기도 했어요.
그렇게 좋아하던 영화도 점점 안 보게 되었어요.
텔레비전은 시시해서 더 이상 볼 수가 없게 되었고요
잠깐 쓴 것 같은데 6시간을 꼬박 앉아
글을 쓴 적도 많았어요.
그런데 신기한 건
글을 쓰다 보면
잡념이 사라지고
피로도 같이 사라지는 거예요.
그리고 놀랍게도 막 힘이 솟아요.
글쓰기를 하고 나서 다른 일을 해도
거뜬히 해낼 수 있을 힘이 났어요.

이상하죠?

많은 시간을 고심하면서
에너지를 쏟았으니
분명 피로해야 맞는데
피로하지 않고
오히려 새 힘이 솟으니까요.

더 신기한 건
피곤할 때
글을 쓰면
더 집중이 잘 되는 거예요.
더 강하게 몰입이 되죠.
그렇게 하고 나면
뭔가 다른 걸 더 해보고 싶고요.
자려고 누워도 잠이 오지 않고
정신이 오히려 말똥말똥해져요.

이런 경험을 통해 알았죠.
피곤한 건
마음을 고단하게 만드는
수많은 잡념들이 가득하기 때문이라는 걸,
마음을 한 곳에 모을 수 없기 때문이라는 걸,
마음이 기쁘고 반기는 것을 하지 않기 때문이라는 걸.

잡념들이
마음을 가득 채우고
마음을 고단하게 만들고
마음을 지배하고 있는 한
아무리 몸을 쉬어줘도
피곤에서 벗어나기 힘들다는 걸.

항상 피곤하다면
뭔가 새 힘을 얻고 싶다면
몸에만 보약을 주지 말고
마음에도 보약을 주세요.
마음의 보약은
몰입할 수 있는 뭔가를 하는 거예요.
그 뭔가에 완전히 빠져보는 거죠.
내가 없어지고
그것과 하나가 되는 거예요.
그것 자체가 되는 거죠.
그러면 피로를 물리칠 수 있어요.

제게 글쓰기가
그런 '뭔가'이듯이
여러분에게도

그런 '뭔가'가 있을 거예요.
그게 뭔지 알아야 해요.
그리고 그걸 해야 하죠.
그게 마음의 보약이고
에너지를 투입하는 일이니까요.

몰입은 미치는 거예요.
미치는 게 뭘까요?
그것 말고는
다른 게 들어올 수 없는 상태가 아닐까요.
모든 힘을
한 곳에 모으고
한 곳에 모을 힘이
계속해서 생기는 상태죠.
그렇게 미쳐 보세요.

늘 피곤하다면
날 미치게 하는
'뭔가'가 있는지,
내 마음에 보약이 되는
'뭔가'가 있는지,
무아지경無我之境에 빠지게 만드는

'뭔가'가 있는지,
몰입해서 그 자체가 되게 하는
'뭔가'가 있는지,
곰곰이 생각해 보면 좋겠어요.
그런 걸 찾고 푹 빠져보면서
피로를 물리치세요.

결혼에 관한 지극히 사적인 생각

결혼은 사랑의 목적지도,
사랑의 완성도 아니랍니다.
인생이 선택의 연속이듯
결혼도 인생에서 만나는
하나의 선택입니다.

결혼을 위해서
사랑을 하려고 하지 마세요.
결혼으로 사랑이 완성된다고 착각하지 마세요.
결혼은 사랑만으로 해서는 안 돼요.
선택인 만큼 신중해야 하죠.
많은 것을 고려해야 합니다.

어떤 학교를 가고
어떤 직장을 구하고
어떤 차를 사고
어떤 집을 살지

이런 것들을 선택할 때도
많이 알아보고
심사숙고深思熟考해서 결정하는데
일생일대一生一大의 선택인
결혼을 단지 사랑하니까
혹은
'이 사람이다'라는
느낌이나 생각만 가지고 한다는 건
자칫 신중하지 못한 선택이 될 수 있기 때문입니다.
사랑이 없는 결혼은 말할 것도 없고요.

결혼을 선택하는 이유로
최악인 것들이 더 있어요.
남들이 하니까
나이가 차서
부모의 성화에 못 이겨서
친구들도 다 하니까
지금 안 하면 평생 못할 것 같아서
아이를 낳고 싶어서 등.
이래서 선택한 결혼은
운에 모든 걸 맡겨버리는
도박과 별 다를 게 없지 않을까요?

결혼하고 나서야
서로를 연구하고
서로에 대해 공부하려고 하면
그때는 늦어요.

결혼을 하기 전에
서로에 대해 충분히 공부하고 연구해야 해요.
그렇게 해도
쉽지 않은 현실이 바로 결혼이니까요.

무엇보다
혼자일 때만 누릴 수 있는
특권과 같은 자유를 내려놓을 수 있는지
결혼 후 감당해야 할 책임과 의무가
버겁고 힘들 때가 있더라도
그것을 기꺼이 감내하고
감사하며 행복으로
여기며 살아갈 수 있는지를
자신에게 분명히 묻고 답할 수 있어야 해요.
'해 봐야 아는 것'이라는 말로
피하려고 해서는 안 돼요.
정말 쉽지 않은 일이니까요.

결혼을 안 하고 후회하는 것보다
결혼을 하고 후회하는 게 낫다고들 하는데
결혼하든 안 하든 후회하지 않게 해야죠.
결혼을 했다면 행복해야 하지
후회하는 일이 되어서는 더더욱 안 되고요.

행복한 결혼은
상대가 아닌
자기 자신에게
달려 있는 것임을
호흡을 하듯
항상 의식해야만 해요.
결혼 생활이
불행하다고 생각된다면
행복의 부재不在는
자기 자신에게서 비롯되었다는 것을
겸허히 받아들여야 합니다.
상대를 탓하고
상대를 바꾸려 하는 순간
결혼 생활은 그야말로 생지옥이 되고
참혹한 전쟁터가 되어버릴 거예요.

혼자일 때의 자유를 여전히 갈망한다면
혼자인 지금이 더 행복하다면
혼자 사는 편을 택하세요.
그건 상대를 위해서도
나를 위해서도
이롭고 현명한 일이 될 거예요.

사랑이 없는 결혼은 절대로 하지 마세요.
사랑이 없는 결혼은
영혼이 없는 육체 간의 계약이 될 뿐이에요.

사랑만 가지고 결혼하려고도 하지 마세요.
우리는 사랑만이 유일한 고민인 삶을 사는
드라마의 주인공들이 아니니까요
현실도 직시할 수 있어야 해요.

사랑만 하고 싶다면
사랑만 하면서 살아요.
'사랑하면 결혼해야 한다'는 말에 현혹되지 말고
둘 사이에 사랑만이 흐르게 하며 살아요.
서로에게 집중하고
서로에게 최선을 다하고

사랑으로 평생 같이 할 수 있는 삶을 살아요.

한 가지 더
이건 결혼에 관한
지극히 개인적인 견해이니
노여워 마시기를.

부디.

같이

이런 경험이 있어요?
좋은 일
기쁜 일
축하할 일이
생겼을 때
당연히
같이 좋아하고
같이 기뻐하고
같이 축하해줄 거라고
믿었던 사람들이
오히려
침묵하고
모른 척하고
심지어
형식적인 칭찬이나 축하
한두 마디를 어쩔 수 없이
해준다고 느꼈던 경험이.

그때의 서운함
그때의 쓸쓸함
그때의 불편함
그때의 당혹스러움
여러 가지 감정들이
좋은 날을
기쁜 날을
축하할 날을
힘들고 괴롭게 했던 경험이.
종이에 베인 듯한
보일 듯 보이지 않는
하지만 분명 아리고 아픈
상처가 되었던 경험이.

그때
기뻐해 준 사람들이
내가 전혀 기대하지 않았던
아니
기대하지 못했던
나를 잘 모르던 사람들이었던 적이 있어요.

그들은

진심으로
좋아하고
기뻐하고
축하를 해주었습니다.

저는 몰랐습니다.
좋은 일에 같이 좋아하고
기쁜 일에 같이 기뻐하고
축하할 일에 같이 축하하는 게
가까울수록 더 어려울 수 있음을.
가깝기 때문에 당연히 그렇게 되는 게 아님을.
나를 잘 모르더라도
기꺼이 좋아하고 기뻐하고
축하할 수 있는 사람들이 있을 수 있다는 것을.

상처가 될 수 있는 일로
또 한 번 인생을 배웁니다.
같이 좋아하고
같이 기뻐하고
같이 축하하자.
내가 먼저
인생의 찬란한 순간을

맞이한 사람이 있거든
그 순간을 온전히 함께 해주자.
부러움과 질투가
같이 나눠야 하는 기쁨의 순간을
가로채게 놔두지 말자.
이렇게 다짐합니다.

또 배웠지요.
함께 나눌 수 있는 마음이
성숙하고 아름다운
인생의 태도라는 것을요.

그래서 기억하고 실천하려고 해요.

같이 좋아하고 기뻐하고 축하하는
당신과 나 그리고 우리가 되면 좋겠습니다.

하루의 시작

아침에 눈을 뜰 때
무슨 생각을 가장 먼저 하나요?
그 생각이 그날의 하루를 결정합니다.

만약
해야 할 일들이 리스트처럼 머릿속에 펼쳐진다면
마음에 돌을 얹은 듯 묵직하고
먹은 게 얹힌 듯 종일 거북한 하루가 될 거예요.

만약
하고 싶은 일들이 가슴을 콩닥콩닥하게 한다면
가고 싶었던 곳으로 여행을 떠나듯
설렘과 유쾌함이 가득한 하루가 될 거예요.

매일이 좋은 날일 수 없지만
좋은 날이 매일 펼쳐질 수는 있지요.

우리가 누릴 수 있는 하루는
오늘 딱 하루뿐입니다.
되돌릴 수도
다시 올 수도 없는
오늘 하루뿐입니다.
그것만으로도
하루는 소중하고 특별합니다.
그만큼 허투루 써서는 안 되겠죠.

좋은 생각이
좋은 마음이
좋은 느낌이
좋은 하루를 만듭니다.
좋은 생각, 마음, 느낌으로
하루를 시작하세요.

해야 할 일들이 많은 하루라면
해야 할 일들을 좋아하려고 해보시고
하고 싶은 일들을 해볼 수 있는 하루라면
제일 하고 싶은 일부터 시작해보세요.
오늘 하루 동안
따스한 미소를 짓고

작은 친절을 베푸세요.

정성을 다해 하루를 대한다면
분명 오늘 하루가 정성을 다해
여러분에게 보답할 것입니다.

오늘 하루를 시작하는 아침,
마치 여행을 갔을 때처럼
오늘은
무엇을 할지
어디를 갈지
누구를 만날지
기대하는 마음으로
눈을 비비면서 일어났어요.
그리고는
가장 먼저 제가 하고 싶었던 일인
이 글을 쓰는 것으로
오늘 아침을 엽니다.
기분이 좋네요.

주어진 하루
해가 떴으니 시작하는

그런 하루가 아니라
정성을 다해
마음껏 즐길 준비가 된
여행 같은 하루가
여러분의 오늘이 되길 바랍니다.

그랬으면 좋겠습니다.

11월 22일

제 생일입니다.
이 세상에 온 날이지요.

어떤 마음으로 세상에 태어났을까?
세상 빛을 처음 봤던 그때는 어땠을까?
무서웠을까? 기대했을까? 자신이 있었을까?
그때의 기억을
머릿속에서
아무리 샅샅이 뒤지고 찾아봐도
알 수가 없습니다.
정말 알고 싶은데 그럴 수가 없네요.

생일이 되면
세상에 태어나던 그때
어떤 마음이었을지
침묵을 깨고
세상에 내 존재를 알리던 그때

나는 어땠을지 매번 무척 궁금합니다.

생일이면
나이를 한 살 더 먹게 된다고
싫어하거나 혹은 슬퍼하는 사람들을 봅니다.
전 그렇지는 않아요.
생일이면
내가 이 세상에
이렇게 존재할 수 있다는 것이 감사하고
나를 낳아주시고 키워주신
사랑하고 존경하는 부모님의 은혜를
다시 한번 되새길 수 있어서 감사하고
이번 일 년도
지난 수 십 년과 다름없이
최선을 다해 살아왔던
나 자신에게 감사하고
지금의 내가 있게 해 준
많은 사람들에게 감사하고
지금까지 해왔던 일들에 감사하게 돼요.

그 일들에는 성공도 실패도 없었습니다.
모두 배움의 과정이었고

그 과정을 통해
지금의 내가 있는 것이니
성공과 실패를 구분 지을 필요가 없지요.

생일은
이렇듯 감사할 것들을
곰곰이 떠올려보고
또 한 해를 바라보는
새로운 시작이 되는 날입니다.
적어도 제게는 그런 날입니다.

이런 질문을 종종 받습니다.
"다시 10대, 20대로 돌아가고 싶지 않으세요?"
제 대답은 한결같습니다.
"아니요. 절대로. 전 지금이 좋습니다.
지금까지의 삶에 만족합니다.
후회는 없어요.
설령 후회할 일이 있었더라도
후회 또한 제 삶의 일부입니다.
후회가 없는 삶보다는
후회하지 않는 삶을 살려고 노력했고
여태껏 그렇게 살아왔으니 그걸로 충분합니다." 라고.

그래요.

모든 선택의 순간에

제가 할 수 있는 최선을 다했습니다.

이것으로 충분하지요.

제 삶은 이미 훌륭합니다.

앞으로도 그렇게 살아갈 것이고요.

생일이 되면

제게 축하를 해주시는데

정작 축하를 받아야 할 분들은

부모님이라고 생각합니다.

사랑하는 어머니, 아버지

저를 낳아주시고

늘 사랑과 헌신으로

키워주셔서 감사합니다.

그 사랑과 헌신이 있었기에

지금의 제가 있습니다.

두 분이 누리셔야 할 것들을

제가 두 분을 대신해서 누려왔고

지금도 넘치게 누리고 있습니다.

어머니, 아버지의 사랑과 은혜에

항상 감사하고 감사합니다.
열심히 살겠습니다.
건강하게 살겠습니다.
늘 어제보다
더 행복한 오늘을 살겠습니다.
세상에 기여와 공헌하는 삶을 살겠습니다.
감사합니다.
사랑합니다.
존경합니다.
건강하게
오래오래 행복하게 같이 살아요.

생일
이렇게
저는 또다시 태어납니다.
출생 때
어떤 마음으로
어떤 생각으로
어떤 각오로
어떤 기대로
이 세상에 왔는지
기억할 수 없지만

생일마다
한 해 한 해
어떠했는지,
앞으로 어떠할지를
기억하고 다짐하면서.

또 생일이 좋은 건
매년 자기 삶에 마디를
만들 수 있기 때문이 아닐까 합니다.
이 세상에 머무는 시간 동안
내 삶의 마디를 예쁘고 촘촘하게
만들어야겠다는 다짐을
생일을 통해
다시 한번 해 봅니다.

이런 사람을 만나거든

남에게는 엄격하면서도
자신에게는 한없이 관대한 사람

자기가 책임을 져야 할 때
오히려 남에게 책임을 추궁하는 사람

남에게는 본을 보이라고 하면서
정작 자신이 본이 되지 못하는 사람

규칙은 남들이 지켜야 하는 것일 뿐
자신은 해당되지 않는다고 여기는 사람

상대를 비판하고 질책하는 것은 당연시하면서
자신이 비판받거나 질책을 당하는 것은 용납지 않는 사람

자기가 남에게 하는 것처럼
남이 자기에게 하는 건 이해하지 못하는 사람

이야기를 하자고 하면서
결국 자기 말만 늘어놓는 사람

상대가 말을 할 때 듣는 척하지만
자기가 말할 것을 생각하느라 제대로 듣지 않는 사람

자기 잘못을 인정하고 사과한다고 하면서
자기가 얼마나 힘든지만 장황하게 늘어놓는 사람

자기가 원하는 것을 상대에게 요구만 하지
상대가 자기에게 무엇을 원하는지는 관심이 없는 사람

자기 비위를 맞추는 사람은 친구라 믿지만
바른 소리를 하는 사람은 적으로 간주하는 사람

자기에게 필요하지 않은 강점을 가진 사람에게
'실력이 없다, 일을 못해'라고 입버릇처럼 말하는 사람

무엇보다도
자기가 이런 사람이라는 것을
자기도 이럴 수 있는 사람이라는 것을
모르는 사람

알려고도 하지 않는 사람
말해줘도 모르는 사람
인정하지 않는 사람

먼저
이런 사람이 되지 않기를.
항상 자신을 돌아보며
이런 사람이 되지 않기를 바라고
이런 사람처럼 행동하지 않기를.

만약 자신이 이런 사람이라면
지금 당장 고쳐나가기를.
그렇지 않으면
결국 혼자만 남게 될 테니.

그리고
주변에 이런 사람이 있다면
매일 이런 사람을 만나야 한다면
슬프게도 이런 사람이 리더의 자리에 있다면
최대한 피하시길.
그것이 최선이니까요.

이런 사람과의 관계를 위해
시간이나 감정을 낭비하지 마세요.
대화가 가능한 사람과 대화를 시도할 때만이
대화도 가능한 거니까요.
서로 얼굴을 마주 보며 앉아 이야기를 한다고
그게 다 대화는 아니니까요.
시간과 감정을 쏟을수록
힘들고 불편하고 괴로울 뿐이니까요.

피할 수 없다면
일정한 거리를 두고 유지하세요.
업무 상 어쩔 수없이 관계를 해야 할 사람이라면
일을 위한 관계로만 만나세요.
여기서 일정한 거리를 두는 것이란
직급에 따른 예의를 지키고
업무를 잘 처리하고
시간을 엄수하고
최대한 말을 아끼는 거예요.
어쭙잖은 조언이나 충고 따위는
절대 하지 마세요.
그들에게는 비난으로 들릴 테니까요.
인정하지도 들으려고 하지도 않을 거니까요.

듣고 있는 게 듣는 게 아닐 테니까요.

이런 사람을 만나고 싶지 않은 건
모두의 바람일 거예요.
그러나 안타깝게도
이런 사람은 어디에나 꼭 있어요.
그러니
이런 사람을 만나면
꼭 기억하세요.
가급적 피하고
피할 수 없다면 거리를 두고
쓸데없이 시간과 감정을 낭비하지 말기.

대신
이와 반대되는 사람을 만나면
그 사람에게 정성을 다하고
좋은 관계를 위한 시간과 감정을 투자하세요.
최선을 다해 좋은 관계를 만들어 가세요.

좋은 사람과
좋은 관계를 만끽하기에도
인생은 짧으니까요.

보드게임

텔레비전을 같이 보는 것도 좋습니다.
영화를 같이 보는 것도 좋지요.
그런데 뭔가 아쉽다 느껴질 때가 있습니다.
같이 보고 있고
같이 이야기를 나누지만
뭔가 긴밀하게 오고 가는
유대감의 결핍이 느껴질 때가 있습니다.

서로에게 온 관심을 집중하면서
끈끈한 유대감을 느끼고 싶다면
다음 만남이 기다려지는
'그 무엇'이 필요하다면
추천하고 싶은 게 있습니다.
보드게임입니다.

보드게임을 좋아하는지
할 것인지는

온전히 여러분의 몫이지만
그래도 추천하려는 이유는
직접 해보고 느껴 본 사람만이
할 수 있는 일이라 생각하기 때문이에요.
여러분이 소중한 사람들과
즐겁고 유쾌한 경험을
나누기를 바라는 마음
다 같이 행복하기를 바라는 마음
그런 마음 때문입니다.

가벼운 내기를 곁들이면
더없이 좋아요.
손에 땀을 쥐는 긴장감과 함께
게임에 더 몰두하게 되니까요.
집안일 내기도 좋고
저녁 내기도 좋아요.
맥주하고 치킨 내기도 좋죠.
내기를 하면
승부 경쟁이 과열될 수도 있고
또 진 사람의 기분이 상할 수도 있지만
게임은 내기가 있어야 제 맛이죠.

제가 주로 하는 보드게임은
'루미큐브, 로스트 시티, 카르카손, 카탄, 푸에르토 리코,
시타델, 뱅, 사보타지'예요.
'아그리콜라, 타불라의 늑대'는
사두기만 하고 아직 해보지는 못 했어요.
'아그리콜라'는 설명서를 읽어도 이해를 못해서이고
'타불라의 늑대'는 8인 이상의 사람들이 필요하기 때문에.

어쨌든
뜨겁게 어울려 보고 싶다면
보드게임을 해보시길 권합니다.
즐거운 추억을 쌓을 수 있을 테니까요.

당신에게서 나를 봅니다

당신은 내게 이미 지나간 사람
당신과 만나는 모든 순간
나는 진심이었고
그러면서 나는
내 진심을 볼 수 있었습니다.
진심을 다한다는 게
어떤 것인지 몰랐던 내게
당신은 내 진심을 보게 해주었습니다.

당신은 지금 내 곁에 있는 사람
당신과 함께 하는 모든 순간
이제껏 알지 못했던
나다운 나를 봅니다.
남을 의식하고
남에게 맞추느라
나다운 게 뭔지 몰랐던 내게
당신은 나다운 나를 알게 해주었습니다.

당신은 내가 곧 만날 사람
당신을 기다리는 모든 순간
기다림에 설레어하는 나를 봅니다.
늘 조급해하느라
기다림이 어떤 것인지
몰랐던 내게
당신은 기다림이
설렘일 수 있음을 알게 해 주었습니다.

당신과 내가 만나
우리가 되어
같이 느끼고 나누는
일상의 모든 순간마다
당신에게서 나를 봅니다.
이제껏 몰랐던 나를
가장 나다운 나를
앞으로 되고 싶은 나를
당신은 내게 그런 사람입니다.

그리고

나도 당신에게

그런 사람이고 싶습니다.

자기계발

전 요리를 좋아합니다.
만둣국을 만들려고 양파를 써는데
문득 양파가 몇 겹인지 궁금해졌죠.

자기계발이란
당연히 알고 있다고 믿는 것,
관심을 두지 않았던 것에 대해
묻고 답하고 알아가는 과정입니다.

내가 어떤 사람인지
어떤 사람이 되고 싶은지
알고 있는 것은 무엇이고
알아야 할 것은 무엇인지
무엇을 배우고 있고
배우고 싶어 하는지
살아가면서 습관처럼 해왔던 것들
그리고 당연한 내 모습에

의문을 가지고
질문을 하고
그 답을 만들어 가는 과정
그것이 바로 자기계발이죠.

이런 과정을 통해서
경험이 쌓이고
지식이 쌓이고
생각이 깊어지고
통찰력을 가지게 되면
그래서 지혜의 근육이 생기고 강해지면
시야가 넓어지고
사유가 깊어지며
사소한 것에서도
경이로운 깨달음과
골수에 흐르는 배움을
얻게 될 것입니다.

결국 자기계발의 최고 경지는
매일 똑같아 보이는 하루하루에서
스스로 배울 줄 알게 되고
성장하고 발전하기 위해

자기가 자신을 이끌어 가는 것입니다.
소위 말하는 임계점을 넘어서는 과정을
자기 스스로 만들 줄 알고
실천하는 삶을 사는 것이죠.
그리고 그것을 즐길 줄 아는 것입니다.

매일 겸손한 마음으로
하루라는 시간을
감사하는 마음과 함께
성실하고 열정적으로
순간을 마지막처럼
최선을 다해 살아가는 사람만이
이를 즐기는 사람만이
진정으로 자기계발을 하고 있는 사람입니다.

당연한 것을 당연시하지 않고
현상 너머의 본질을 깨닫기 위해 힘을 쏟는 것,
그래서 자신이 가진 잠재력과 가능성을
깨닫고 스스로를 꾸준히 계발해 나가는 것,
더 나아지려는 욕구와 과정을 즐길 줄 아는 것,
이것이 자기계발입니다.

인생이 내는 문제

인생은 끊임없이 문제를 냅니다.
개중에는 비교적 쉬운 문제도 있고
아무리 애를 써도 풀기 어려운 문제도 있어요.
하지만 풀 수 없는 문제는 결코 내지 않습니다.

한 가지 더
과거에 풀었던 문제를 다시 내지도 않죠.
1번에서 10번까지의 문제를 냈다면
11번 문제를 내지
다시 1번이나 5번 문제를 내지는 않지요.
단 이것은 그때 인생이 낸 문제를
성실하게 풀고 넘어간 경우에만 해당됩니다.

문제를 풀지 못했다면
인생은 그 문제를 풀 수 있을 때까지
비슷한 여러 유형의 문제들을 냅니다.
그러니 인생이 내는 문제를

최선을 다해서
성실하게 풀어야만 해요.

인생의 문제에는
정답이 정해져 있지 않습니다.
인생이 요구하는 답은
누구에게나 똑같이 적용되는 천편일률적인 것이 아니라
자기 스스로 찾고 만든
자기만의 것이어야 하기 때문입니다.
그래서 내 인생의 문제를
다른 사람들이 대신 해결해 줄 수 없습니다.
또한 다른 이의 답이
내 문제의 답일 수도 없습니다.

인생이 계속해서
문제를 내는 이유는 무엇일까요?

그건 우리 본연의 모습을 만나게 하기 위함입니다.
우리가 완벽하지 않은 이유이기도 하죠.

완벽하다는 것은 더 나아질 것이 없는 완전한 상태예요.
완전한 상태가 좋아 보이지만 실상 그렇지 않습니다.

완벽하고 완전하다는 것은

그 자체가 이미 한계에 도달한 것이니까요.

더 이상 아무것도 기대할 수 없고

아무것도 할 필요가 없는 상태로

존재하는 것이 무슨 의미가 있을까요.

지루하지 않을까요.

아이러니하게도

우리는

완전하지도

완벽하지 않기 때문에

아름답고 위대합니다.

완전하지도

완벽하지도 않기 때문에

우리에게 한계가 없는 것이죠.

스스로 한계를

규정짓지 않는 한

한계는 있을 수 없습니다.

인생은 이것을

우리에게 알려줍니다.

인생은

우리에게 한계가 없음을

완전하지 않고
완벽하지 않아도
우리의 존재가
아름답고 위대하다는 것을
문제를 통해 깨닫게 해줍니다.

당신에게
지금 인생은 어떤 문제를 냈나요?
당신은
그 문제를 어떤 태도로 대하고 있나요?

진짜 문제는
인생이 낸 문제가 무엇이냐가 아니라
그 문제를 대하는 내 태도가 어떠한가에 있으며
인생은 문제를 통해서
내 한계를 알려주고 싶어 하는 것이 아니라
내게 한계가 없음을 알게 해주려는 것임을 기억하세요.

오늘, 어떤 문제를 어떤 태도로 풀고 있나요?

상상하세요

더 큰 세상과 더 큰 자신을
만나지 못하는 것은
더 큰 세상과 더 큰 자신을
상상해보지 않기 때문입니다.

더 큰 세상과 더 큰 자신을 만나는 비결은
그것을 이룬 자신을 늘 상상하고
마치 실제인 듯 그렇게 행동하는 것입니다.

여러분의 미래를 상상하세요.
자기의 미래를 어떻게 상상하고
어떻게 전망하고 행동하는지에 따라
여러분의 삶과 모습은
그렇게 되어 갈 것입니다.

익숙해진 삶의 틀에서
벗어나지 못하는 한

아니 벗어나지 않으려고 하는 한
매일 비슷한 하루를 살고
비슷한 내일을 맞이하며
이런 하루하루가 모여
지금과 별 다를 바 없는
앞으로의 삶이
여러분을 찾아올 거예요.

만약 여러분이
지금의 삶과 자신에
만족하고 행복해한다면
삶의 목표와 가치가
지금의 만족과 행복에 부합한다면
지금의 삶을 최대한 즐기고
온전히 만끽하면 됩니다.

그러나
만약 지금보다
더 나은 삶을 살고 싶고
더 나은 자신을 만나고 싶다면
자기가 살고 싶은 삶과
자기가 되고 싶은 모습을

상상해야만 합니다.
간절히 상상하고
상상을 이루기 위한
행동을 지금부터
꾸준히 실천해 나간다면
여러분의 삶과 모습은
상상하는 것처럼 변해갈 것입니다.

상상력을 발휘할 때
상상하는 것을 생각하게 되고
생각하는 것을 행동하게 됩니다.
그리고 그렇게 상상은 현실이 되어가기 때문입니다.

미래학자 번 월라이트Verne Wheelwright는
세 가지 미래의 진실을 말했습니다.

첫째, 미래는 결정되어 있지 않다는 거예요.
미래는 운명이라 부르는 한 가지로
정해진 그 어떤 것이 아니에요.
미래는 운명이 아닌 다양한 가능성입니다.

둘째, 미래는 정확히 알 수 없다는 거예요.

하지만 생각해보면 미래를 예측할 수는 있죠.
내가 40세가 되었을 때
어떤 모습과 어떤 삶을 살고 있을지
지금에 비춰 예상해볼 수 있듯이
자세하고 정확하게는 알 수 없지만
미래에 관해 진지하게 생각해 본다면
많은 것을 예측해 볼 수 있습니다.

셋째, 미래는 현재의 행동의 영향을 받는다는 거예요.
미래를 당장 바꿀 수는 없어요.
그건 누구도 할 수 없는 일이죠.
하지만 현재 무엇을 할 것인지는
누구나 스스로 결정하고
그 행동을 할 수 있습니다.
그리고 현재의 행동은
미래에 영향을 주고
미래를 바꿀 수 있는 힘을 발휘하죠.

미래를 상상하세요.
미래에 살고 싶은 삶을 상상하세요.
미래에 되고 싶은 자기 모습을 상상하세요.
그리고 상상하는 것을 이루기 위해

지금 할 수 있는 행동을 시작하세요.
늘 이런 질문을 자신에게 해보세요.

"나는 5년 뒤, 10년 뒤,
그 이후의 삶을 어떻게 상상하고 있는가?
어떤 내 모습을 상상하고 있는가?"

"나는 상상하는 삶을 살기 위해
상상하는 모습이 되기 위해
지금 무엇을 하고 있는가?"

이 두 가지 질문에 지금 당장 대답할 수 있다면
여러분은 상상을 현실로 바꿀 힘을 이미 가지고 있고
실제로 그럴 가능성이 매우 높은 거예요.

만약 대답이 떠오르지 않는다면
이 질문의 답을 지금부터 만들어가야 해요.
상상을 현실로 바꿀 수 있는 출발선 앞에 서야 합니다.

이렇게 했음에도
상상한 대로 안 되면 어쩌나
염려할 필요는 없어요.

확실한 것은
그러지 않았을 때보다
상상한 것에 더 가까운 삶을 살고
상상한 모습과 더 닮아 있는
자신을 만날 것이 분명하니까요.

미래는
지금 여러분이 어떤 상상을 하고 있는지,
상상한 것을 위해 무엇을 하고 있는지에 달려 있어요.
그러니
미래는 자신만이 바꿀 수 있는 것임을 잊지 말고
지금을 힘껏 살아가시길 바랍니다.

2016 촛불 집회 said

자기가 해 먹는 사람은 리더가 아닙니다.
리더는 타인을 위해 해주는 사람입니다.

책임을 지우는 사람은 리더가 아닙니다.
리더는 스스로 책임을 지는 사람입니다.

권위를 즐기는 사람은 리더가 아닙니다.
리더는 섬김을 실천하는 사람입니다.

말과 행동이 다른 사람은 리더가 아닙니다.
리더는 행동으로 말하는 사람입니다.

자기 이익을 계산하는 사람은 리더가 아닙니다.
리더는 사람의 마음을 헤아리는 사람입니다.

복종을 강요하는 사람은 리더가 아닙니다.
리더는 존경을 받는 사람입니다.

이런 까닭에
리더는 아무나 될 수 없습니다.
아무나 리더가 되어서도 안 되지요.

리더가 어때야 하는가를
이해하고 알고 실천할 수 있는 사람만이
리더가 되어야 합니다.
리더라는 자리가 사람들을 따르게 하는 것이 아니라
리더의 사람됨이 사람들을 따르게 하는 것이어야 합니다.

사람들이 마음으로 따르는 리더는
사람들이 올바른 길로 갈 수 있도록
이정표가 되어주며 길동무가 되어주는 사람입니다.
이런 참된 리더가 늘 그립습니다.
요즘은 더더욱.

이 시대에,
아니 지금까지
과연 있기는 했던가요?
앞으로 만날 수는 있을까요?
이런 참된 리더를.

2016년

촛불 집회는 묻는 것 같습니다.

이 세상 모든 리더들에게.

그리고 리더를 꿈꾸는 모든 이들에게.

2016년 촛불 집회 said & sad.

일상을 여행처럼

여행은
자기 내면을 찾고 즐기는
시간을 갖기 위한
떠남이자 만남입니다.

여행은
자신에게 허락하는
자기를 위한 시간입니다.
잠시여도 좋고
좀 더 긴 시간이라면 더 좋습니다.
자신을 위한 시간은
늘 옳고 소중하니까요.

일상에 지치고
생기를 잃어갈 때
그런 때는 여행을 떠나세요.

어딘가
새로운 곳으로
떠나는 것만이
여행은 아니에요.
여행을 위한 시간을
따로 낼 수 없고
재정적인 여유가 없다면
그런 것에 구애받지 않고
언제든지 마음만 먹으면
떠날 수 있는 여행도 있어요.
매일 반복하는 일상도
마음먹기에 따라
훌륭하고 멋진 여행이 될 수 있으니까요.
전 이런 여행을 '일상 여행'이라고 부릅니다.

'일상 여행'은 누구나 할 수 있어요.
오랜 기간이 필요하지도 않죠.
여행 자금을 따로 마련할 필요도 없고요.
같이 할 수 있는 누군가가 있다면 더 좋겠지만
혼자라도 즐길 수 있지요.

하던 일을 멈추고

좋아하는 음악을 들으며
커피 한잔을 마시는 잠깐의 시간도
'일상 여행'이 돼요.

편한 옷을 입고
동네 한 바퀴를 휘휘 돌며
잠시 산책을 하는 것도
'일상 여행'이고요.

거리에 나가
지나가는 사람들을
구경하는 것도
'일상 여행'입니다.

서점에 가서
손에 잡히는 책들을
읽어보면서
평소와 다른
이런저런 생각과 느낌에
빠져보는 것도
'일상 여행'이 됩니다.

좋아하는 영화 한 편을 골라
시원한 흑맥주에 치킨과 감자칩을 먹으며
영화를 즐기는 것도 '일상 여행'으로는 그만이죠.

평소 아끼던 책을 꺼내 읽으며
마음에 와 닿는 구절을 뽑아
노트에 적어 보는 것도 '일상 여행'이지요.

마트에 가서
시식도 하고 장을 봐다가
나를 위한 요리를 해보는 것도
'일상 여행'이고요.

멋지게 차려 입고
근사한 식당에 가서
새로운 요리와 분위기를
경험해 보는 것도
'일상 여행'이지요.

버스나 지하철을 타고
안 가본 곳에 내려
낯선 거리를 거닐면서

색다른 풍경을 즐기는 것도
'일상 여행'이에요.

마음에 드는 낙엽을 주워
간단한 글귀를 적어
책장 사이에 끼워보는 것도
'일상 여행'이 될 수 있고요.

분위기 좋은 카페에서
친구들을 만나 차를 마시며
담소를 나누는 것도
'일상 여행'이죠.

여행이 별 건가요?
매 순간을 여행자의 마음으로
일상을 새롭게 바라보고
경험할 수 있다면
즐겁고 특별한 것을
찾아서 즐길 수 있으면
일상도 여행이 될 수 있지 않을까요?

일상이 시들해 보이는 이유는

일상이 시들해서가 아니라
일상에 대한 내 관심과 애정이 시들었기 때문이에요.

'자, 여행을 떠나볼까!'라는 마음으로
일상을 맞이해 보세요.
이런 생각만 가져도
일상이 새롭게 보일 거예요..

일상이 여행이 될 때
여행이 일상이 될 때
인생은 더 즐겁고 행복한 시간이 됩니다.

"일상을 여행처럼"
평범한 일상을 특별하게 만드는 주문.

독서 예찬

하루에 두세 권의 책을 읽을 때가 있습니다.
여러 권의 책을 몇 달에 걸쳐서 천천히 읽을 때도 있죠.
두고두고 아껴서 읽고 또 읽는 책도 있습니다.
소중한 이들과 함께 토론하고 공부하는 책도 있죠.

책을 읽으면
마치 밥을 든든히 먹은 듯
기분이 좋아집니다.

그러고 보면
독서란 식사와 같은 것인지도 모르겠습니다.

매일매일
좋은 음식을
꼭꼭 씹어서
그 맛을 음미하며
먹어야

즐겁고
몸이 건강하게
살 수 있듯이
매일
좋은 책을
읽고
생각하고
실천해야
즐겁고
마음이 건강하게
살 수 있으니까요.

생각하게 하는 책이
좋은 책입니다.
나 자신을 돌아보게 하고
내 마음을 되찾게 하며
시야와 생각을 넓혀주고
행동하게 하는 책이 좋은 책이지요.
이런 책을 만나면
빨리 읽고
많이 읽는 것보다는
천천히 읽고

조금씩 읽게 됩니다.
글자를 읽는 것보다는
읽은 행간을 사색思索합니다.
읽은 곳을 다시 읽고
더 자세하게 들여다보고
저자의 생각을 헤아려보게 되며
내 생각도 같이 넓혀가게 됩니다.
그렇게 생각의 길을 닦고
그 길을 마음껏 거닐어 봅니다.
그곳에서 이전과 다른 지금의 나,
미래의 나를 만나게 됩니다.

이처럼
좋은 독서는 책을 읽으며
저자를 만나는 것으로부터
새로운 나를 만나러 가는
즐거운 여정입니다.

읽을 수 있는 만큼 많이 읽되
심사深思없이 읽지는 말아야 합니다.
깨닫는 것이 없는 다독多讀은
얻는 것이 없기 때문입니다.

책을 처음부터 끝까지 읽어야 한다는
부담감과 의무감에서 벗어나세요.
마음에 와 닿고
생각이 끌리는 곳만
읽어도 괜찮습니다.
독서의 본질은
책 속에 있는 모든 활자를
읽어내는 데 있지 않으니까요.

마음을 파고드는 책이 아니라면
과감히 덮으세요.
억지로 활자를 읽어내고
책장冊張만 넘기느라
소중한 시간을 죽여서야 되겠습니까.
시간 때우기 식의 독서는
늘 경계해야 마땅합니다.

책을 아끼지 마세요.
책과 한바탕 뒤엉켜보세요.
좋은 구절에는 줄을 긋고
여백에는 생각과 깨달음을 적고
실천할 것들을 쓰세요.

다시 봐야 할 책장은
접어 두시는 것도 참 좋아요.

책을 다 읽고 나면
마지막 책장에 짤막하게나마
읽은 기간을 적고
읽고 난 소감을 적어보세요.
나중에 다시 읽게 되었을 때
내게 어떤 변화가 생겼는지
알 수 있게 해줄 거니까요.

책을 읽고 생각한 내용을
다른 이들과 꼭 나누세요.
잠깐이라도 좋아요.
실천하려고 하는 것도
같이 나누면 더 좋아요.
나눔이 있는 독서는
삶에 더 잘 스며드는 법이거든요.
또 모두에게 유익한 독서가 되니
얼마나 좋은 일인가요.

책은 귀중한 보물이에요.

인간의 생각과 경험을 담고 있는
인생의 지혜와 깨달음을 담고 있는
인류의 유산을 담고 있는
그야말로 보물이지요.
이 보물을 매일매일 누리세요.
소중한 이들과 같이 만끽하세요.

이 순간을 당신과 함께

당신을 만난 건
우연이라고 생각했었죠.
그러나
당신과 함께 하는 순간
나는 알았습니다.
우연이 아닌
인연이었다는 것을.

나는 당신을 사랑합니다.
당신도 날 사랑하죠.
서로가 서로를
사랑한다는 것은
기적과 같은 일입니다.
일생동안
만나는 사람들과의 인연도
수천 겁劫을 거쳐야 가능하다는데
서로가 서로를 사랑한다는 것은

기적이 아니고서야
어떻게 가능할까요.
이런 생각을 하면
당신과 이 순간을 함께 한다는 것이
경이롭기까지 합니다.

사랑은 서로에 대한 믿음입니다.
있는 그대로의 자기 자신을
사랑해준다는 믿음이 바로 사랑입니다.
당신 앞에서 난 어떤 척을 할 필요가 없습니다.
당신도 내 앞에서 어떤 척을 할 필요가 없습니다.
남들 앞에서 매일 써야 하는 그 어떤 가면도
서로의 앞에서는 불필요합니다.
그냥 있는 그대로
이 순간을 함께 하는 것이
사랑이니까요.

이런 까닭에
나는 사랑을 자유라고도 말하고 싶습니다.
그냥 나일 수 있는 자유
그냥 당신일 수 있는 자유
그냥 우리일 수 있는 자유

믿음과 자유는 사랑의 다른 이름일지도
모른다는 생각도 듭니다.
이 순간을 당신과 함께 하며 드는 생각이죠.

그러고 보니
사랑은
진정 이 순간을 당신과 함께 하는 것입니다.

이 순간을 당신과 함께 사랑합니다.